Sombras

Escrito por Carolyn B. Otto

Traducido por Queta Fernandez

SCHOLASTIC INC.

New York   Toronto   London   Auckland   Sydney
Mexico City   New Delhi   Hong Kong   Buenos Aires

Créditos de las fotografías:

Cover: © Bonnie Kamin/PhotoEdit; page 1: © Michael Newman/PhotoEdit; 3: © David Young-Wolff/PhotoEdit; 4: © Vicki Silbert/PhotoEdit; 5: © David Young-Wolff/PhotoEdit; 6: © David Young-Wolff/PhotoEdit; 7: © Michael Newman/PhotoEdit; 8: © David Young-Wolff/PhotoEdit; 9: © Tony Freeman/PhotoEdit; 10: © Tony Freeman/PhotoEdit; 11: © Bill Bachmann/PhotoEdit; 12: © David Young-Wolff/PhotoEdit; 13: © David Young-Wolff/PhotoEdit; 14–15: © David Young-Wolff/PhotoEdit; 16: © David Young-Wolff/PhotoEdit; 17: © Bill Aron/PhotoEdit; 18: © Bill Aron/PhotoEdit; 19: © David Young-Wolff/PhotoEdit; 20: © David Young-Wolff/PhotoEdit; 21: © David Young-Wolff/PhotoEdit; 22: © David Young-Wolff/PhotoEdit; 23: © David Young-Wolff/PhotoEdit; 24, both: © Tony Freeman/PhotoEdit; 25, both: © Tony Freeman/PhotoEdit; 26: © Michael Newman/PhotoEdit; 27: © Michael Newman/PhotoEdit; 28–29: © Michael Newman/PhotoEdit; 30: © Michael Newman/PhotoEdit. All photographs provided by PhotoEdit of Long Beach, CA, with the help of Leslye Borden and Liz Ely.

We are grateful to Francie Alexander, reading specialist, and to Adele M. Brodkin, Ph.D., developmental psychologist, for their contributions to the development of this series.

Our thanks also to our science consultant Marianne Dyson, who has a degree in physics and worked for NASA as a mission controller.

Book design by Barbara Rich and Kay Petronio.
Originally published in English as *Shadows.*

ISBN 0-439-68477-3

2 3 4 5 6 7 8 9 10   23   12 11 10 09 08 07 06 05

En días soleados, tu **sombra**
va siempre contigo.

Cuando saltas, te meces o corres,
tu sombra lo hace también.

Si el sol está frente a ti,
tu sombra estará a tus espaldas.

Si el sol está a tus espaldas,
tu sombra estará frente a ti.

Los perros y los gatos
también tienen sus sombras.
También la tienen autos
y piedras.

Unas cuantas **nubes**
en el cielo proyectan sus
sombras en la tierra.

Pero si el cielo está
lleno de nubes, se volverá
gris y oscuro y no proyectará
sombras en la tierra.

Mira de cerca

¿Qué produce esta sombra?

Para obtener sombras,
necesitamos **luz**. El sol
nos da una luz brillante.

Mira de cerca

¡Un camión de juguetes!

La luz del sol proviene de su calor. Otros objetos calientes también producen luz.

El fuego produce luz. Las
velas encendidas producen luz.
Las estrellas producen luz.

La **electricidad** produce la luz en los bombillos. Un bombillo pequeñito puede producir una luz brillante.

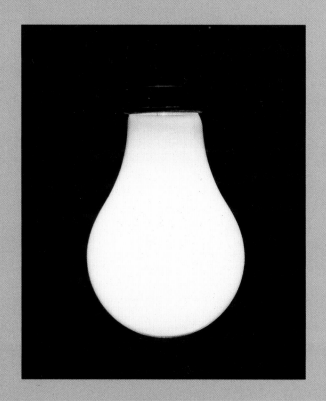

Si enciendes una linterna en una habitación oscura, podrás aprender más sobre las sombras.

Enciende una linterna en
dirección a la pared. Coloca
tu mano frente a la luz de
la linterna.

La luz iluminará tu mano,
pero no la atravesará.

¿Qué produce esta sombra?

Cuando tu mano bloquea la luz de la linterna, se proyecta su sombra en la pared.

17

Coloca un libro, una pelota o cualquier juguete delante de la luz de la linterna.

Mira de cerca

¡La rueda de una bicicleta!

Todas las sombras están creadas por un objeto que bloquea la luz.

Las sombras tienen muchas formas diferentes. La forma de las sombras puede cambiar. Pueden acortarse o alargarse.

al mediodía

a las tres de la tarde

Las sombras también
pueden hacerse delgadas
o gruesas.

Las sombras también
cambian según la hora
del día. Al mediodía, las
sombras son cortas. En la
mañana o en la tarde, las
sombras se alargan.

Otras veces, las sombras cambian porque la luz cambia o el objeto cambia de posición.

Ilumina tu mano con una linterna. Mantén la linterna en el mismo lugar y observa lo que sucede cuando mueves tu mano.

Si acercas tu mano a la pared, verás que la sombra de tu mano se hace pequeña.

Si acercas tu mano a la luz
de la linterna, la sombra de tu
mano se hará más grande.

La sombra de tu mano crece
porque está bloqueando mayor
cantidad de luz.

pájaro

Puedes hacer distintas
figuras con sombras.

Prueba a hacer estas dos.

perro

25

En la noche, también puede haber suficiente luz para crear sombras.

Las luces de las vidrieras también crean sombras.

Las luces de la calle o la luz de
la luna pueden crear sombras en
las paredes de tu casa.

Esta noche, antes de ir a la
cama, busca todas las sombras
que aparecen en tu habitación.

Si te quedas dormido antes
de encontrarlas todas, no te
preocupes. Mañana habrá
nuevas sombras que encontrar.

Glosario

nubes—Partículas pequeñísimas de agua, nieve, polvo o hielo que se acumulan en el aire

electricidad—energía que puede producir luz

luz—energía que ilumina y hace posible la visión

sombras—figuras oscuras producidas por un objeto que bloquea la luz